Alice no País das Maravilhas

ALICE ERA UMA MENINA MUITO FELIZ, QUE ADORAVA LER E OUVIR HISTÓRIAS.

UM DIA, LIA SEU LIVRO PREFERIDO DE CONTOS À SOMBRA DE UMA ÁRVORE E FICOU MUITO SONOLENTA. ELA FECHAVA OS OLHOS PARA DESCANSAR, QUANDO OUVIU:

— ESTÁ TARDE! VOU ME ATRASAR, JÁ É MUITO TARDE!

ALICE ABRIU OS OLHOS E VIU QUE A VOZ ERA DE UM COELHO BRANCO QUE PASSAVA CORRENDO POR ALI. ESPANTADA COM O ANIMAL FALANTE, CORREU ATRÁS DELE.

Os dois caíram num buraco fundo e escuro, mas, ufa, pousaram em uma almofada confortável.

O coelho continuou a corrida e entrou por uma porta bem pequenininha.

ALICE PENSAVA NO QUE FAZER QUANDO VIU UMA LATA DE BISCOITOS COM “ME COMA” ESCRITO NELA.

A MENINA COMEU OS BISCOITOS E, COMO POR ENCANTO, DIMINUIU ATÉ FICAR DO TAMANHO DO COELHO.

ASSIM, ALICE CONSEGUIU ATRAVESSAR A PORTA E CHEGOU EM UM IMENSO JARDIM, COM SOLDADOS VESTIDOS DE CARTA DE BARALHO E PINTANDO FLORES.

— POR QUE PINTAM DE VERMELHO AS FLORES BRANCAS? — PERGUNTOU ALICE.

— A RAINHA DE COPAS SÓ GOSTA DO VERMELHO E, POR ENGANO, PLANTAMOS ESTAS FLORES BRANCAS. SE ELA DESCOBRIR, VAI MANDAR CORTAR NOSSAS CABEÇAS! — EXPLICOU UM DOS SOLDADOS.

ALICE SE ASSUSTOU COM A CRUELDADE DA RAINHA, MAS EVITOU COMENTÁRIOS E PERGUNTOU:

— PROCURO UM COELHO BRANCO, VOCÊS O VIRAM?

— SIM, ELE ESTÁ TOMANDO CHÁ COM O CHAPELEIRO LOUCO — RESPONDEU UM DOS SOLDADOS.

A MENINA AGRADECEU E SEGUIU ADIANTE ATÉ VER UMA LINDA CASINHA. ELA ENTROU E NOTOU QUE NÃO TINHA NINGUÉM, MAS EM CIMA DA MESA ESTAVA UMA LATA DE DOCES COM UM BILHETE “ME COMA”.

ALICE LEMBROU DO BISCOITO QUE A TINHA FEITO DIMINUIR DE TAMANHO E EXPERIMENTOU O DOCE, PENSANDO QUE VOLTARIA AO SEU TAMANHO NORMAL. PORÉM, ELA SE ESQUECEU DE SAIR DA CASA ANTES! E ALICE CRESCEU TANTO QUE DESTRUIU A CASA INTEIRA!

QUANDO SE LIVROU DOS RESTOS DA CASA, ENCONTROU UM GATO RISONHO.

— BOM DIA, SEU GATO! POR ACASO VOCÊ SABE ME DIZER ONDE ENCONTRO O COELHO BRANCO?

— CLARO, MENINA! DÊ TRINTA PASSOS PARA FRENTE, VINTE PASSOS PARA TRÁS, DEZESSETE PARA ESQUERDA E VOCÊ ENCONTRARÁ O QUE PROCURA!

ALICE RESOLVEU NÃO CONTRARIAR O FELINO, FEZ O QUE ELE RECOMENDOU E ENCONTROU O CHAPELEIRO E O COELHO TOMANDO CHÁ AO AR LIVRE.

ELES CONVIDARAM A MENINA PARA O LANCHE. ALICE ACEITOU E SENTOU-SE, MAS A CONVERSA ENTRE ELES ERA MUITO ESTRANHA.

— MAIS SUCO, LEBRE?

— CLARO, UM CHÁ SEM MANTEIGA, POR FAVOR! E UM PEDAÇO DE PÃO SEM AÇÚCAR.

— E VOCÊ, MENINA, GOSTARIA DE LEITE SEM CASCA?

ALICE ACHOU AQUELE DIÁLOGO TÃO ESQUISITO QUE CORREU DALI.

— SERÁ QUE SÓ TEM MALUCOS POR AQUI? — PENSOU.

PARA PIORAR AINDA MAIS, APARECEU A RAINHA DE COPAS COM SEUS TACOS DE CRÍQUETE. ELA APONTOU PARA ALICE:

— VENHA, MENINA, PRECISO DE UMA ADVERSÁRIA PARA MEU JOGO.

— MAS EU NÃO SEI JOGAR! — RESPONDEU ALICE.

A RAINHA GRITOU FURIOSA:

— COMO OUSA AFRONTAR A RAINHA? GUARDAS, PRENDAM ESTA GAROTA!

— CALMA, MAJESTADE! SE A SENHORA ME ENSINAR COMO SE FAZ, EU JOGO! — RESPONDEU ALICE, ASSUSTADA.

— ASSIM É MELHOR, O JOGO É MUITO SIMPLES. ATÉ MESMO UMA TOLA COMO VOCÊ PODE APRENDER — ARGUMENTOU A RAINHA.

QUANDO A RAINHA SE APROXIMOU DA MENINA, ESCORREGOU NA BARRA DO PRÓPRIO VESTIDO E CAIU. AO SE LEVANTAR, VIU QUE ESTAVA SEM UM DOS BRINCOS:

— CADÊ MEU BRINCO DE OURO? ESTA MENINA DEVE TER ROUBADO. GUARDAS, CORTEM-LHE A CABEÇA!

— NÃO ROUBEI NADA! — GRITAVA ALICE ENQUANTO CORRIA SEM PARAR.

OS SOLDADOS CORRERAM ATRÁS DELA E ESTAVAM QUASE CAPTURANDO A MENINA QUANDO...

ALICE ABRIU OS OLHOS E ACORDOU.

— UFA, FOI TUDO UM SONHO! — SUSPIROU.

PORÉM, PARA SUA SURPRESA, QUANDO OLHOU PARA O LADO, LÁ ESTAVA O COELHO BRANCO OLHANDO SEU RELÓGIO.